Geiriau Cyntaf Fferm Cae Berllan

Heather Amery

Lluniau gan Stephen Cartwright

Golygwyd gan Jenny Tyler

Dylunwyd gan Helen Wood
a Joe Pedley

Chwiliwch am yr hwyaden fach felen ar bob tudalen ddwbl. 

Dyma Fferm Cae Berllan.

Yma mae Mei a Mari Morgan yn byw gyda'u plant Cadi a Jac. Mae ganddyn nhw gi o'r enw Gwalch. Smwt ydi enw'r gath. Ted sy'n gyrru'r tractor ac yn helpu i ofalu am anifeiliaid y fferm i gyd.

Mari Morgan

Mei Morgan

Ted

Cadi

Jac

Gwalch
y ci

Smwt
y gath

Dili'r
ddafad

Wichyn y
mochyn bach

Mae llawer o anifeiliaid ar Fferm Cae Berllan.

ceffyl
mul
gafr
aderyn
hwyaden
yw hwyaden
cath
gŵydd
llygoden

Tŷ Cadi a Jac ydi hwn.

ffenest
ffens
giât
cwmwl

pabell
nant
cwch
pysgodyr
llyffant
llwybr

Dyma Cadi a Jac yn chwarae ger y nant.

Tu allan

Dyma
Mari Morgan
wrthi'n
glanhau'r
car.

Mae Cadi ar gefn
ei beic.

Mae'r balŵn wrth
ymyl cwmwl.

car

beic

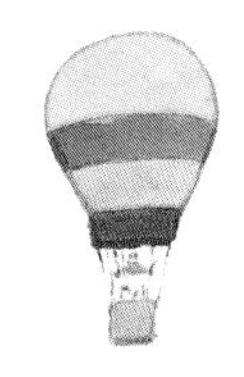

balŵn

cwmwl

Ger y nant

Dyma Jac yn chwarae gyda'i gwch.

Ceisio dal pysgodyn mae Cadi.

O dan y bont mae llyffant yn cuddio.

Mae pysgodyn yn neidio allan o'r nant.

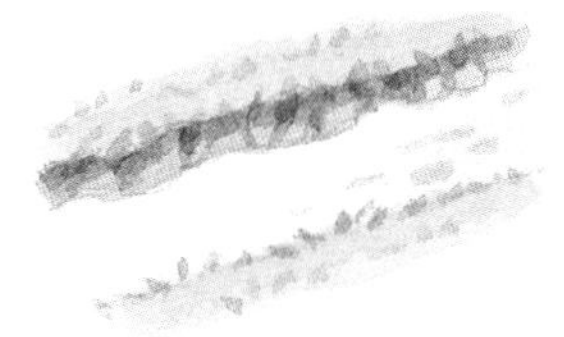

nant

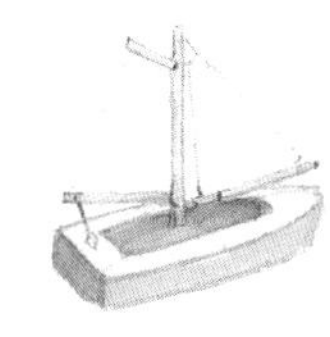

cwch

pysgodyn

llyffant

pont

Pwy sy'n rhoi dillad ar y lein?

esgidiau
crys chwys
coban
siorts
jîns
crys

Pwy sy'n helpu Mari Morgan i hel yr afalau?

gwenynen
iâr fach yr haf
siglen
blodyn
chwilen
malwen

Rhoi dillad ar y lein

Mae Gwalch eisiau chwarae efo hosan.

Pwy sy'n chwarae efo'r het? Ie! Smwt!

Jîns pwy sydd ar y lein? Jîns Jac.

Ffrog lân Cadi ydi hon.

hosan

ffrog

jîns

het

Hel afalau

Mae Jac yn siglo
ar y siglen.

Rhaid i Mari
Morgan sefyll
ar ysgol.

Fydd Cadi'n dal
yr afal?

Pwy sy'n cuddio tu ôl
i'r goeden? Llwynog!

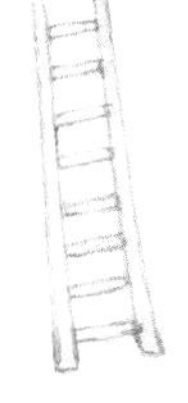

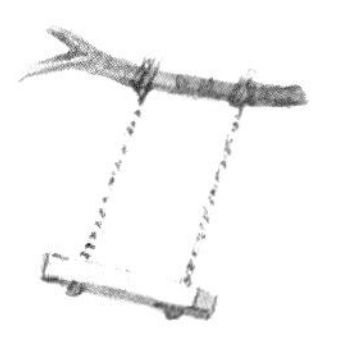

ysgol siglen llwynog coeden afal

Jac sy'n bwydo'r ieir.

bwced
iâr
cyw
dysgl
llygoden
gwellt

trelar

sach

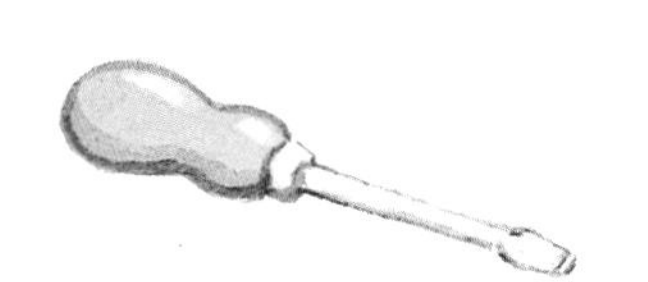
sgriwdreifar

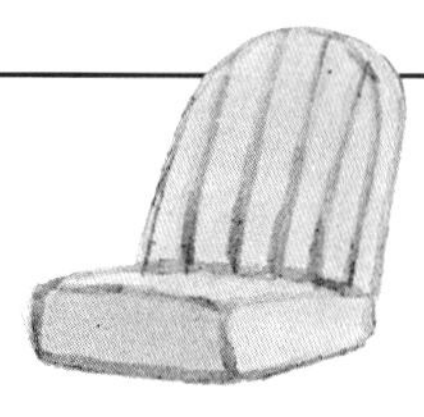
sedd

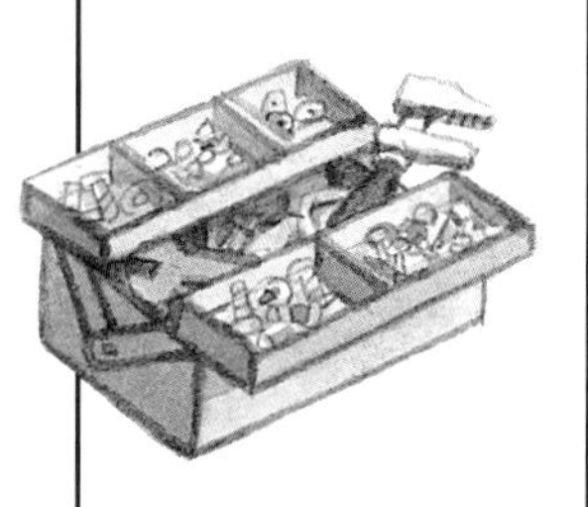
bocs tŵls

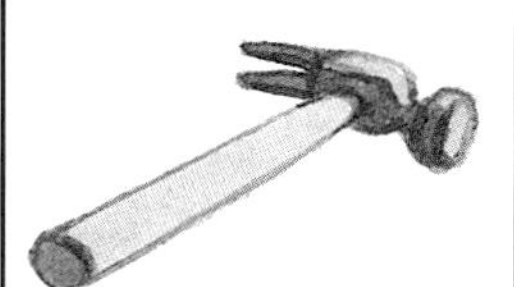
morthwyl

Dyma Ted yn gweithio ar y tractor.

tractor
paent
sbaner
rhaff
llyw
30Kg

Bwydo'r ieir

Faint o wyau sydd yn y fasged?

"Dwi eisio bwyd!" meddai'r cyw.

Ar ben y cwt mae iâr yn eistedd.

Mae gan Jac lond bwced o fwyd ieir.

wy	cwt ieir	cyw	bwced	basged	iâr

Trwsio'r tractor

Ted sy'n gweithio ar y tractor.

Sawl sach sydd yn y trelar?

Pwy sy'n cydio yn y morthwyl?

tractor

morthwyl

sach

trelar

injan
cledrau
arwydd

Mae Cadi a Jac yn yr orsaf.

castell
tywod
gwallt
cragen
llaw
traed
sbectol haul
breichledau dŵr

Mae Cadi a Jac ar y traeth.

Yr orsaf

Mae'r gyrrwr yn barod i fynd.

Mae'r giard yn chwifio drwy ffenest y cerbyd.

"Amser cychwyn!" meddai'r cloc.

A dyna Mari Morgan yn chwifio'i baner.

cloc

gyrrwr

cerbyd

baner

giard

injan

Ar y traeth

Mae Jac yn gwisgo'i freichledau dŵr.

Mae Mari Morgan yn cribo gwallt Cadi.

Dim ond pen a thraed Mei Morgan sydd yn y golwg uwchben y tywod.

breichledau dŵr

gwallt

pen

traed

tatws
moronen
grawn-
win
ceirios
pys
tomatos
mefus
bresychen

Yn siop y fferm mae Cadi a Jac yn helpu Mari Morgan.

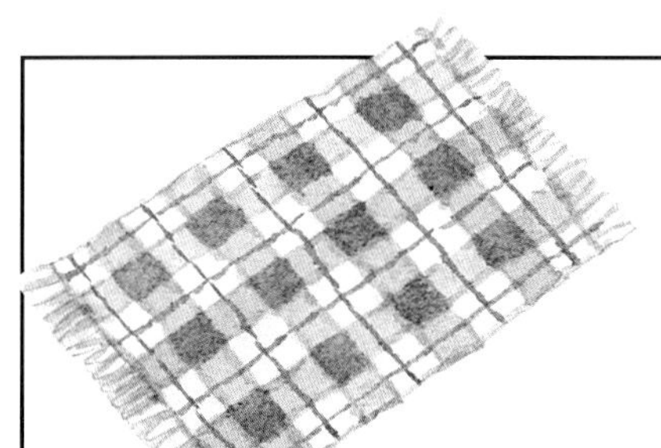

blanced

siocled

oren

plât

Mae Cadi a Jac yn cael picnic.

cacen

cyllell

iogwrt

ambarél

bara

banana

brechdan
potel
sudd
fforc
cwpan
caws

Yn siop y fferm

Mae grawnwin gan Mari Morgan.

Yn ei ferfa mae gan Jac datws a letys.

Sawl bresychen sydd gan Cadi?

Ydi'r mochyn am fwyta'r tomato?

grawnwin

bresych

tatws

letys

tomatos

Mynd am bicnic

Mae Cadi
wedi gollwng
y botel!

Ar ei phlât mae
gan Mari Morgan
gaws a chyllell.

Mae Jac yn
tywallt y llaeth.

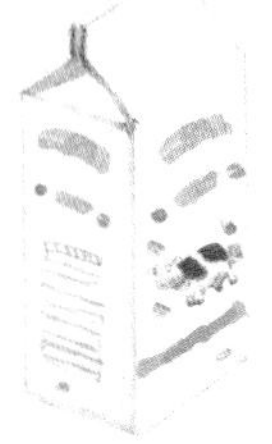

potel caws cyllell plât llaeth

cyfrifiadur

ffôn

papur newydd

llun

fideo

darlun

Tra mae Cadi'n darllen llyfr mae Jac ar y cyfrifiadur.

radio
pensel
teledu
bwrdd
CD
pìn
ffelt
camera
chwaraewr CD
cadair

sliperi
gobennydd
gwely
tedi
llyfr
sebon

Amser gwely
i Cadi a Jac.

Gartref

Pwy sy'n darllen llyfr? Cadi!

Mae'r ffôn ar y bwrdd.

Pwy sydd ar y cyfrifiadur? Jac!

Mae Mei Morgan yn darllen papur newydd.

llyfr

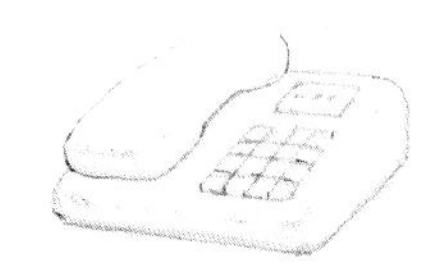

ffôn

papur newydd

bwrdd

cyfrifiadur

Amser gwely

Mae tedi Cadi
ar y gobennydd.

Mae Jac yn neidio
ar ei wely.

Mae'r sebon
yn y sinc.

Gyda'i brws
dannedd mae
Cadi'n glanhau
ei dannedd.

brws
dannedd

gobennydd

gwely tedi sebon sinc

Tywydd

eira

haul

niwl

glaw

gwynt

Tymhorau

gwanwyn

haf

enfys

mellt

rhew

cymylog

hydref

gaeaf

Lliwiau

pinc coch oren brown melyn

Rhifau

 un

 dau (dwy ddafad)

 tri (mochyn)/tair

 pedwar (pedair iâr)

 pump

 chwech

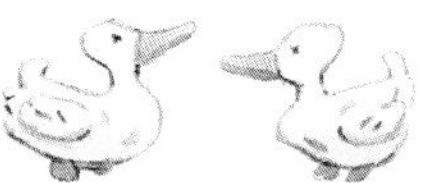 saith

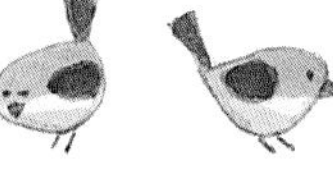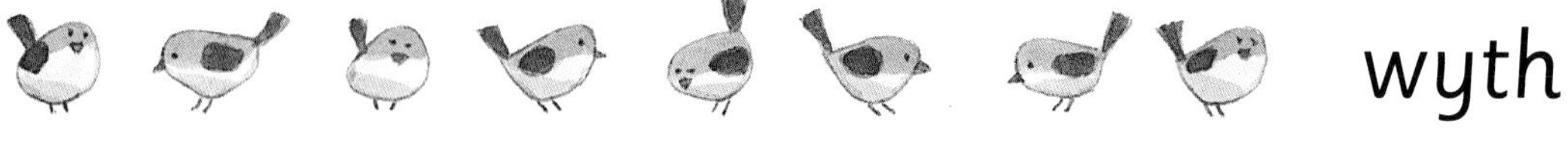 wyth

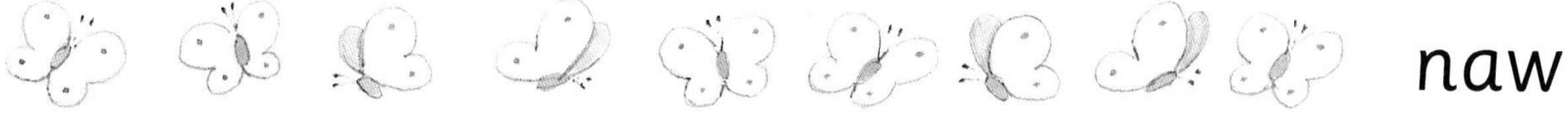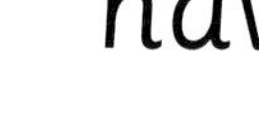 naw

 deg

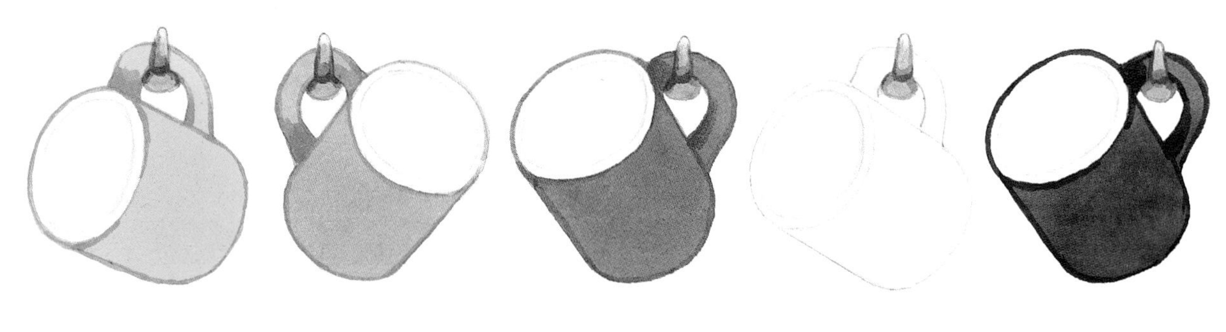

gwyrdd glas porffor gwyn du

Dyma sut mae 100 o gŵn yn edrych.
Beth am i chi eu cyfri?

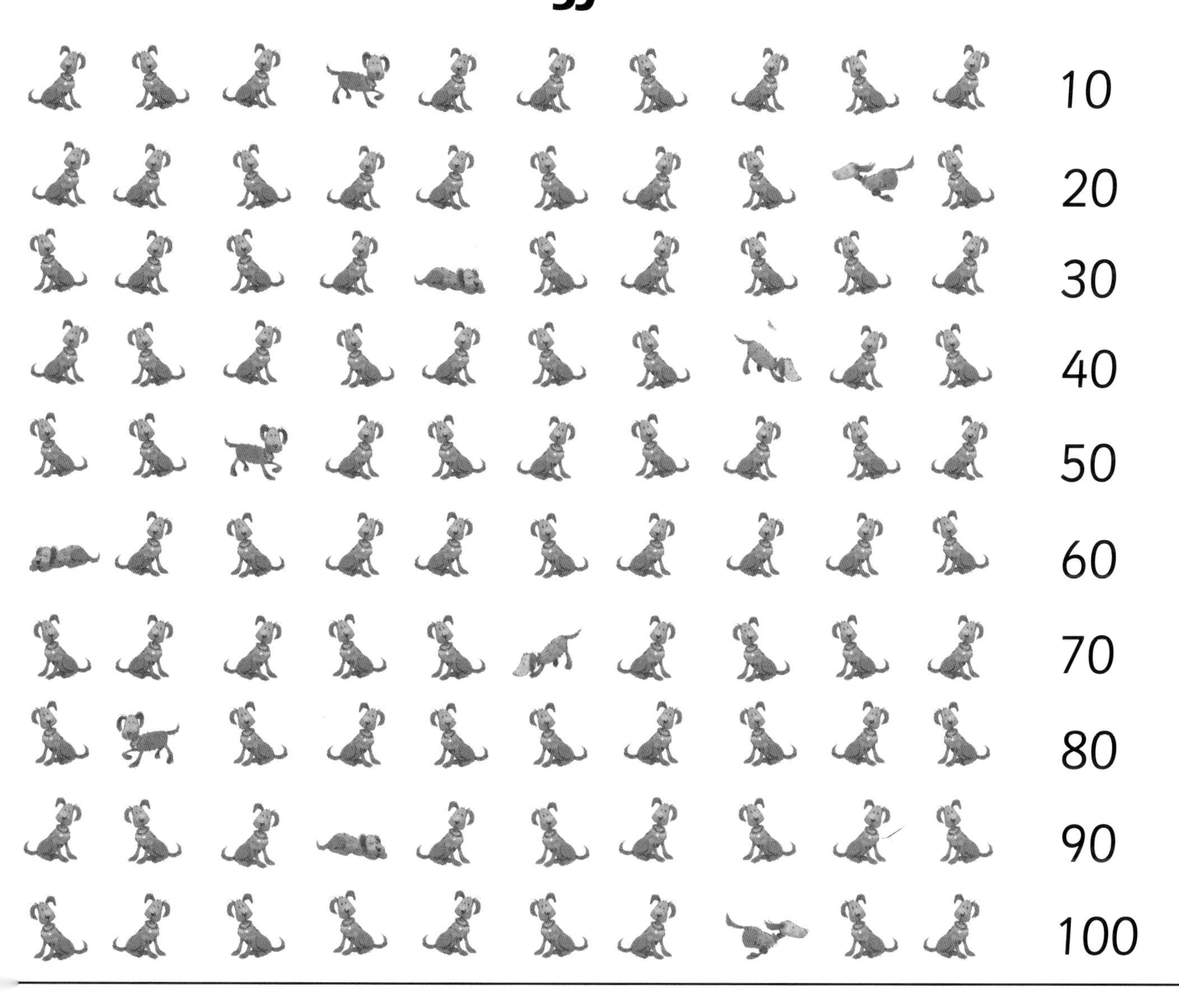

Rhestr Geiriau

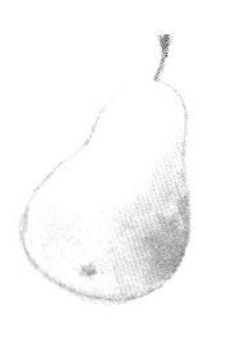

afal
aderyn
ambarél
arwydd
bag
baner
basged
banana
balŵn
bara
berfa
beic
blanced
blodyn
blodfresychen
bocs tŵls
breichledau dŵr
brechdan
bresychen
brown
brws
brws dannedd
buwch
bwced
bwgan brain
bwrdd
CD
cacen

Cadi
cadair
camera
cap
car
castell tywod
cath
caws
ceffyl
cerbyd
ceirios
ci
ciwcymber
cledrau
cloc
coban
coeden
coch
cragen
cranc
crib
crys
crys chwys
crys-T
cwch
cwmwl
cwningen
cwpan

cwt ieir
cyllell
cyw
cyw hwyaden
cyfrifiadur
chwarewr CD
chwech
chwilen
cymylog
dafad
darlun
dau
deg
deilen
Dili
doli
drws
drych
du
dwy
dysgl
eira
eirin
enfys
esgidiau
fideo
ffa
ffenest

ffens
ffôn
fforc
ffrog
gafr
gaeaf
gellygen
gobennydd
giât
giard
glas
glaw
glo
grawnwin
Gwalch
gwallt
gwanwyn
gwely
gwellt
gwenynen
gŵydd
gwyn
gwynt
gwyrdd
gyrrwr
haf
haul
het

hosan
hufen iâ
hwyaden
hydref
iâr
iâr fach yr haf
injan
iogwrt
Jac
jîns
lamp
letysen
lindys
llaeth
llaw
llen
lliain
llo
llun
llwybr
llwynog
llyfr
llyffant
llygoden
llyw
madarch
malwen
Mari Morgan

mefus
Mei Morgan
melyn
mellt
mochyn
mochyn bach
moronen
morthwyl
mul
mwydyn
nant
naw
nicyrs
nionod
niwl
oen
oren
pabell
paent
papur newydd
pedair
pedwar
pêl
pen
pensel
pìn ffelt
pinc
plât

pluen
potel
pont
porffor
pry genwair
pump
pys
pysgodyn
pwll
radio
rhaff
rhaw
rhew
sach
sandalau
sanau
saith
sbectol haul
sbaner
sebon
sedd
sgriwdreifar
siglen
sinc
siorts
siocled
simnai
sliperi

Smwt
sudd
tair
tas wair
tatws
Ted
tedi
teledu
to
toiled
tomatos
tractor
traed
trelar
tri
tŷ
un
Wichyn
wy
wynwns
wyth
ysgol

Fedrwch chi gael hyd i'r gair sy'n mynd efo pob llun?

  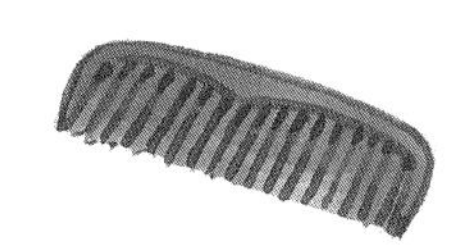   

Cyhoeddwyd gyntaf yn 2001 gan Usborne Publishing, 83-85 Saffron Hill, Llundain EC1N 8RT, www.usborne.com

Argraffiad Cymraeg cyntaf 2001: Gwasg Gomer, Llandysul, Ceredigion SA44 4QL. www.gomer.co.uk
Teitl gwreiddiol: *Farmyard Tales First Word Book.* Dymuna'r cyhoeddwyr gydnabod cymorth Adran Olygyddol Cyngor Llyfrau Cymru.

Argraffwyd yn Sbaen. ISBN 1 85902 957 4